人物介紹

包青天

包拯，以清廉公正聞名於世，被後世稱譽為「包青天」。中國民間信仰傳其為文曲星轉世。善於觀察，長於判案，充滿威嚴，有著過人的計謀和查案能力。

青青姑娘

包拯之女。歌藝出色，心思細密，善解人意。為開封四大捕快所喜，然而她的芳心卻是屬意展昭。

公孫策

包青天的師爺，最信任的助手。尖酸刻薄，愛取笑嘲諷四大捕快。其實內心善良，恨鐵不成鋼。

展昭

大宋最強捕快，御前四品帶刀護衛，全國唯一一個擁有五星護甲的捕快。赤膽忠肝，深得包大人器重，更被皇上御賜「御貓」之名。本來性格豁達開朗，和藹可親，可惜經歷一次生關死劫之後，性情大變，變得沉默寡言，我行我素……

人物介紹

趙虎

開封四大捕快之一。身材魁梧，聲如洪鐘，力大無窮，擅長各門各派的功夫。性格衝動莽撞，非常重情義。

馬漢

開封四大捕快之一。身藏非凡的輕功，身手敏捷，靜若處子，動若脫兔，善於追捕犯人。

王朝

開封四大捕快之首。有著非常厲害的易容技術，經常憑此潛入敵陣，索取重要情報和破案。性格平易近人，充滿正義感。做事冷靜，傾向用計謀解決問題，不會隨便硬碰。

張龍

開封四大捕快之一。出水能游，入水能跳，善於水性，有一身好水功，在水中游移如靈蛇閃現，水戰中幾乎必能捉住敵人。個性自信，喜我行我素。

目錄

第一章・靈異烏盆

烏盆，**顧名思義**就是一個烏黑的盆子，以烏泥搓成盆狀後，再放到窰中以高溫燒至定型。雖然粗糙得有如磚頭一樣，但卻價廉物美，是一般平民百姓家中必備的物品。

烏盆**平平無奇**的，就如每家每戶中的瓷碗，絲毫不是甚麼罕見的珍寶。

張三的家中，亦有著一個用作盛水的烏盆，就放在窗戶旁的案上。烏黑得**發亮**的盆身，在皎潔的明月之下，隱隱反射出亮光。

今夜月光明亮，四野無人，窗外**風聲颯颯**，遠處傳來狼的鳴叫。氣氛雖然顯得陰森可怖，但張三畢竟是個**獨居老人**，長年在這林中小屋深居簡出，當然不會這麼容易被嚇倒。

然而，這一晚發生的事，卻是他從未遇過、甚至無法想像的詭異、駭人……

張三本來已躺到床上，準備睡覺。但這時身邊響起一個聲音——那既不是狼嚎、又不是蟲鳴，而是一個聲音，正在一字一字地向他求救……

「好痛……誰來幫幫我？救救我……幫我申冤……」

家裡明明沒人，為甚麼有聲音？難道是小偷？雖然**心知不妙**，但回心一想：「要是小偷的話肯定要悄悄行事的，為甚麼要喃喃自語打草驚蛇呢？」於是他坐起來，望向聲音傳來的方向。那邊當然空無一人，只有一個烏盆在案上。

張三一臉不解：聲音明明就從自己旁邊傳來，為甚麼就沒見到人呢？

正當張三疑惑之際，
一陣寒風從他身旁掠過。
張三心想：「我飽讀
聖賢之書，
沒害過人，不可能
有鬼來害我吧？」

他不願相信，家中有甚麼怪力亂神在作祟，
因此逞強地四處張望，只希望能找出到底是誰在
裝神弄鬼。

張三依然沒看到半個人影，這反更使他覺得家中鬼影幢幢！想到自己從未幹過任何傷天害理之事，**問心無愧**。這使他膽子一大，就朝著烏盆那邊道：「吾乃張三，字別古。一生貧窮，亦樂於貧！是何方貴客到訪？」

只覺*陰風陣陣*，聲音再次從烏盆傳來：

「我是劉世昌，深知張伯伯是個好人……劉某慘遭殺害，死後身體還被燒成烏盆；可是害我之人仍然逍遙法外，劉某沉冤待雪……」

「張伯伯……幫我找人申冤呀……」

張三正想追問之際，烏盆抖動了起來，聲音愈發淒厲：「幫我找包大人**申冤**……幫我找包大人申冤！」

　　一時間，聲音響徹整個房子，雖然是由烏盆發出，但四面八方，回音不絕！如此可怕之事，張三也終於按捺不住，脫口驚呼了出來！

　　一抹陽光灑到他滿是冷汗的臉上，驚魂甫定的張三發現，自己並不是坐在桌前，而是躺在床上——原來剛才的一切，只是個**夢魘**而已。

他鬆了一口氣，不過有關烏盆的怪夢，其實已經纏擾了他數個晚上……

　　究竟是否有甚麼不對勁？夢中的鬼魂，又是否那個縣城**富戶**劉世昌？劉家三代都是絲綢商人，生意甚至遍及西域……要是他真的被害，可不會無人知道吧？

　　張三**思前想後**，還是決定動身求證一番，以解心結。

　　張三來到城內，趕到瑰麗的劉家大宅門前，
「OPOPOP」的敲響了門，更對應門的劉家家
丁劈頭問道：「請問貴宅劉世昌老爺在嗎？平安
嗎？」家丁馬上推開張三，指
著他**怒斥**：「討飯討到我
們家老爺頭上？要不
是看你年紀大，我肯定
對你不客氣了！」

原來家丁見張三衣衫襤褸，以為他是來討飯的乞丐。一片好心來到，卻遭受如此屈辱，張三沉不住氣了！

「我不是乞丐！別狗眼看人低！」
他對家丁回嗆一句後，一邊拍拍身上灰塵，一邊轉身離開，昂步仰首，理直氣壯！

「本想看看劉老爺有沒有甚麼異樣，卻被劉家的人當作乞丐！不是我不幫忙，只是有心無力。」他一邊走，一邊**酸溜溜**的道：「盡了人事，天命如此，張某愛莫能助……」

怒氣難消，眼見劉家前面不遠處有個市集，張三打算先去湊湊熱鬧，才打道回府。

剛巧，市集中的小販們也正在討論劉家老爺劉世昌的事情，**好奇心**驅使下，張三隨便站到一個店前，豎起耳朵偷聽著……

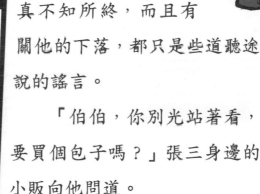

「劉老爺**十多年**都未曾試過遲回家的，我聽鄰村牛哥說，他跟隨從多半是被老虎啣走了！」

「老虎怎樣啣幾個人？有三頭六臂不成？而且也吃不下吧？難道帶回山洞慢慢吃嗎？」

「不，我朋友的朋友是在劉家打工的。聽說他們家老爺在旅途上，認識了個**絕色女郎**⋯⋯戀上了不會再回來了！」

張三聽著他們你一言，我一語，又再次感到**事有蹺蹊**。很明顯，劉世昌果真不知所終，而且有關他的下落，都只是些道聽途說的謠言。

「伯伯，你別光站著看，要買個包子嗎？」張三身邊的小販向他問道。

　　張三想起自己還未吃過甚麼，正想買下包子時，才發現今早趕著出門，身上沒帶半點銀兩，惟有婉拒後離開。

　　另一個說是非的小販又說：「你們別信這些**流言蜚語**，我弟剛從杭州回來，他老闆就是和劉老爺做生意的。劉老爺在杭州其實有個妾侍，今年生了位公子，於是他就在杭州落地生根了！反正劉夫人**膝下無子**，換了是我，也會選擇留在那邊，既可續香燈，又不用對著那個又兇，脾氣又臭的女兒！我聽說劉老爺這個慈祥的人，經常被他女兒虐待！」

喔？劉老爺的女兒真這麼可怕嗎？

「哎呀，你真的是未見識過！」小販邊吃吃笑著，邊回過頭去：「那個姑娘刁蠻任性、橫蠻無禮、目中無人，又粗魯⋯⋯」

　　本來說得如數家珍的小販一下怔住，因為站在他身後的人，正是劉家大小姐——劉詩詩；她不發一言，一腳踢翻了那小販的攤檔！

「我爹可沒你說得那麼**沒心沒肺**，他最疼的就是我！」她對著那個小販，狠狠的罵道。

詩詩回頭又向另一小販問道：「剛剛是你說我爹被老虎吃掉的嗎？」話畢又衝向那小販處！

張三立即上前攔阻：「姑娘！他們雖然不應在人後**說三道四**，但你也不能破壞他們的財物呀！」

詩詩打量一下張三，然後指著他說：「哪裡來的閒人？本小姐**心情很差**，但做事還是要講先後的。你先站在這裡等一等，我等會再回來教訓你。」

張三聽得愕然，他本來只想跟詩詩講道理，卻被她這般輕視，弄得剛才被劉家家丁羞辱的怒氣，又再次湧上心頭。

　　「小姑娘，老夫雖然不像你們**家世顯赫**，但書卻沒有少讀！就算一簞食，一瓢飲，仍能當個**坦蕩蕩**的君子！」

　　對詩詩的無理取鬧，市集的小販都是敢怒不敢言；誰料遇上張三這個似乎不怕她的人，詩詩反倒愣住了。

　　「縱使姑娘家中享盡奢華，也不能沉溺當中，而要追求內心的豐足！」張三托著下巴，大義凜然的對詩詩說起教來：「**人生在世**，最重要的是尊重自己，尊重他人！」

詩詩見張三這個潦倒老者，忽然自說自話講起道理來，只覺得**莫名奇妙**。正想撇下張三，找那個說劉世昌被老虎吃掉的小販「算帳」。誰料一轉身，腿一抬起，剛好狠狠地撞到一位路過的公子哥兒的胯下！

看到那人身後跟著兩個彪形大漢，詩詩心知闖禍。「……誰叫你行路不帶眼？」不過她卻依然逞強，不肯道歉。

　　「還在惡人先告狀？你這婆娘是甚麼人？」這位公子可是詩詩惹不過的惡人：「本少爺可是家中**九代單傳**，不賞你十個耳光這口氣可吞不下！」

　　兩個大漢聞言，馬上把詩詩抓住，揪著她的頭髮送到惡公子面前，好讓他賞詩詩數個耳光。

詩詩雖然跟叔叔習過**拳腳功夫**，但終究只是個嬌生慣養的大小姐，在孔武有力的大漢手中，無疑只是隻待宰的羔羊。

那位惡公子**恃強凌弱**，咧嘴一笑舉起手掌，準備一巴掌扇到詩詩的臉蛋上。

張三看不過眼他們欺負一個手無縛雞之力的女孩，然而他只是一個老書生，對武功可是一竅不通，想出手相助又無能為力，惟有閉上眼睛，不想看著此等暴行發生……

忽然，惡公子的手，被一隻強而有力的手臂捉住了。

大漢見惡公子被抓，護主心切，二話不說就運勁向著那人打出一拳！

但見來者**不慌不忙**，把惡公子拉到自己身前作擋箭牌。沒料到有此一著的大漢一驚，只能收起拳勢，改為提腿踢向那人。

那人像操弄著扯線布偶一樣，手腕一轉又把惡公子拉到了自己面前。這次大漢的動作凌厲，再也止不住攻勢，**硬生生**地再一次踢中了惡公子的胯下！

有著如此本領的人，原來正是王朝！惡公子
痛不欲生，卻嚥不下這口氣，
仍要繼續撒野。

兩個大漢見王朝失去了惡公子這個人肉盾牌，毫無顧忌向他強攻過去。

　　然而此等**流氓**，豈會是開封府名捕的對手？縱然以一敵二，王朝依然應付自如，敏捷矯健的躲過了他們的拳腳，更看準機會，向著一個大漢轟出一掌！

　　他被打得騰空飛起，先碰倒了呆立著的張三，再撞上自己的同伙，**四腳朝天**倒在地上！

　　大漢狼狽爬起，揉著胸前被王朝擊中的疼處，正準備反擊。

詩詩本來就年少氣盛不服輸，剛才被強行以蠻力壓制住，內心已相當**不服氣**。現在得到王朝拔刀相助，氣焰登時又起！

她嬌小的身影閃至大漢面前，一拳打向他胸前的傷處，疼得他倒抽一口涼氣！

「**別欺負我！**」詩詩朝大漢吼道。

大漢見勢頭不對，紮起馬步大喝一聲，像是要和王朝拼命一樣。他身上橫生的肌肉鼓脹起來，殺氣騰騰！

大漢沒注意到的是，他身後有一高一矮兩個身影慢慢步近。看到眼前這副**箭在弦上**的情景，他們依然談笑風生著，可見這兩人亦絕不是**泛泛之輩**！

不用說，他們正是開封府的另外兩位名捕：張龍及趙虎！

　　「你看，人家比你還要壯呢！」張龍向趙虎調侃道。

「廢話！我們比的是功夫！」

趙虎不甘示弱反駁。

　　大漢們見三位開封府的精銳居然齊集在此，也顧不得面子，連忙抓起惡公子落荒而逃。

　　「你看，壯不壯倒是其次！光氣勢我就把他嚇跑了！」趙虎向張龍眨一眨眼道。張龍正想回話之際——

　　「詩詩？」青青從他們身後步出，跑到詩詩身邊：「你沒事吧？還是這牛脾氣嗎？」

　　王朝、張龍及趙虎登時**面面相覷**，沒想到與青青一起來市集，居然湊巧救了她的好友一命！

　　「姑娘原來是青青的朋友嗎？」張龍見這個少女是青青認識的人，饒有興趣地上前搭話。

　　「詩詩是我小時候的玩伴，可是我們的爹一個是官、一個是商，長大之後兩家甚少來往，也就很少有機會聚了。」青青有點感慨的道。

　　「沒想到詩詩姑娘也是習武之人，我看到你給惡霸的那一下重擊，相當有功架！」張龍似乎挺欣賞這位「女中豪傑」。

　　「這是我叔叔的獨門武功，我從小就跟他學習。」詩詩神情得意的說：「叔叔說這個叫碎骨拳，只怪我學藝未精，要不然即使單人匹馬，也足以跟他們戰個平分秋色！」

「要是剛才打出那拳的人是叔叔……呵呵，恐怕那臭男人要粉身碎骨，早已勝負分明，哪輪得到你們開封捕快插手？」

詩詩**侃侃而談**

地說著。雖是言者無心，卻聽者有意的讓幾位捕快感到受辱。張龍見王朝甫剛救了她一命，但居然被她如此輕視，內心相當不是味兒！

所謂「武無第二」，武夫趙虎怎麼可能會忍得住？

你嘴巴說得多厲害都可以，但管他甚麼碎骨碎肉的，我就不相信憑自己功力，擋不下那甚麼三腳貓拳法！

「你的才是**三腳貓功夫**！別以為長得人高馬壯就厲害，敢不敢吃我劉詩詩的一招？」

趙虎向來對自己橫練的肌肉引以為豪，此刻卻被如此不饒人的反嗆，當然立馬氣上心頭！

「好，來，我馬上領教你家碎骨拳！」

「我們剛才擊退惡人，已達成任務。」王朝上前攔住趙虎道：「你打贏她是失職，不幸打輸更是失禮，何解要如此一般見識？」

「知道自己是捕快的話，就別顧著逛街買東西……趕快把我爹找回來！」詩詩面對著以退為進，不與自己硬碰的王朝，反倒不知要如何回話。

王朝懶得再跟詩詩罵下去，就領著眾人離開，步進了市集之中。

　　這下子詩詩反倒著急起來：本想找他們幫忙，奈何忍不住把他們全部人得罪了一遍，又因**自尊心**作祟，不想主動與他們道歉⋯⋯

　　「詩詩，其實他們不是來市集玩的。」青青安慰詩詩說：「那些奇怪的謠言傳得滿城都是，甚麼劉伯伯與美女私奔、又說他易容變成帥哥**重過新生**等，早就傳到了我爹耳中。」

「那麼我明天能否來你家，看看包伯伯或者公孫先生有甚麼想法嗎？」詩詩雖然嘴巴狠辣，**性格剛烈**，但其實為了父親的事內心煩惱多時了。青青熟悉她的脾性，當然沒有拒絕的理由。

「青青其實無心冒犯你們的，希望王朝大哥不會介意。」回程時，青青告訴了王朝此事。

「我受包大人所托調查劉員外去向，當然不會與她計較。」王朝淡淡的說：「只是那姑娘如此目中無人……青青，這類人還是敬而遠之吧。」

「凡事別只看表面，她其實可是個心地很好的姑娘！」青青笑著向王朝道。

在市集的所見所聞，已經使張三肯定劉老爺的確已經失蹤。

如此說來，難道夢中**所見非虛**？縱使覺得有點可笑，他還是和烏盆對坐，對著它說話：「夫子有謂『敬鬼神而遠之』，但你若真的被害，又只能求助於我，別古又怎能**袖手旁觀**？人命攸關之事，未知我有甚麼可以效勞？」

想當然爾，烏盆沒有半點反應，張三呆呆望著它良久，不禁開始懷疑：難不成昨晚那個……真的就只是個噩夢？

然而，張三依然放不下心頭大石：「子不語怪力亂神」，他絕對不願相信烏盆是被**冤靈**纏上，正在找他幫忙申冤……

　　但這個怪夢纏繞擾他已久，孔孟之說亦教他不能對別人的苦難**視而不見**！

　　於是，他立定決心──就按夢中烏盆的請求，明天一早去擊鼓鳴冤，寄望青天大老爺包大人能斷破這宗奇案！

翌日，詩詩尋父心切，一大早就來到衙門，希望青青能替她引見包大人。

馬漢不知道她是甚麼來頭，只見一個長得標致的妙齡少女來到府衙，於是立即上前搭話：

「姑娘是否有甚麼心事？
未知馬漢可否為姑娘分憂？」

「我來找青青的，你這看門的人只管領路就好。」詩詩因為劉老爺**不知所終**，早已心煩氣躁，見馬漢態度輕佻，當然不會好言相向。

其實馬漢不知道詩詩是何方神聖，只見她隻身來到開封府，還一臉苦惱的模樣，也是真心想伸出援手的；沒料到自己一番好心，卻換來如此**尖酸刻薄**的回應，當然感到自討沒趣。

「馬大哥抱歉，詩詩是劉家的千金、我的朋友！」還好青青這時跑了出來，一手把詩詩拉走，打破了這個尷尬場面。

青青帶著詩詩回到自己的閨房，似乎想引開她注意力一般，向她展示著自己的珍藏。

 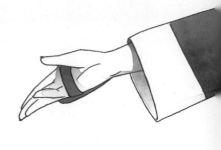

「你看，中秋時節快到了，我都準備好燈籠跟**胭脂水粉**，我們要不要一起去燈會？」

詩詩見青青忽然談起跟她玩樂的事，有點不明所以，登時鼓起了腮。

「別打岔了，你不是說讓我見包伯伯，讓他查明我爹去向不明一事的嗎？」

「呀，王朝大哥他們已在盡力追查了，要是有甚麼消息，一定會通知你的。」青青答道：「你就暫時別**太緊繃**，趁著過節，跟我去放鬆一下吧！」

青青如斯說著，但她臉上的笑容有點勉強，這使詩詩更感到不對勁。

「我們多少年朋友了，有甚麼你就直說吧！要是包伯伯不願意幫忙，我也不會強人所難的！」

詩詩繼續逼問，弄得青青更是**面有難色**，不知如何是好——

因為，包大人當然不會把此事置諸不理，但青青知道他正在公堂上聽著一位百姓鳴冤，而那宗奇案對詩詩來說，恐怕不是甚麼好消息！

原來，半個時辰之前，張三帶著家中的烏盆**來擊鼓鳴冤**！

公堂之上，張三跪在烏盆旁邊，承受著包大人的目光；所謂「生不入官門」，他不禁猶豫自己是否做錯了決定。

「何人擊鼓鳴冤？」包大人身旁的公孫先生問道。

來到公堂已**無法回頭**！既然事已至此，張三堅定起來，決心要為附身烏盆的亡魂劉世昌**洗雪冤情**！

「草民張三，字別古，這次是為了劉世昌老爺而來的。」堂下的張三堂堂　　正正地說道。

「劉員外？本官已聽聞他失蹤多時，民間**眾說紛紜**，開封府亦正開始徹查此事。」包大人摸著鬍子，似乎對出現新的線索，感到既驚又喜：「張老先生難道知道劉員外的去向？」

「包大人，劉員外⋯⋯也在這個公堂之上。」

包大人與公孫先生面面相覷，顯然沒有聽懂。

「劉員外的亡魂就附於張某身旁這烏盆，最近每晚給草民報夢，要讓他向包大人**申冤**！」於是，張三就一五一十，把他連日來做的怪夢，都告訴了包大人。

詩詩早就看穿青青有事隱瞞，這時也來到公堂後方，聽到這個老人道出如此離奇之事，暗示她爹已**遭遇不測**，一時間未能反應過來！

包大人沒有立即否定張三的夢，而是拍下驚堂木問：「烏盆，你可是劉世昌？可有冤情？」所有人都**屏息靜氣**，等著烏盆的回答——突然一個細微怪聲，由烏盆的方向傳出！

不是，不是，這只是我肚餓的聲音。

　　原來發出聲音的不是烏盆，只是在它身旁的張三！

　　「張老先生單憑夢境，就斷定劉員外遇害、更附身烏盆，**可謂荒謬**！」包大人立即斥喝。

詩詩也想過爹可能凶多吉少，方才要是烏盆真的能發出劉世昌的聲音，對她來說反倒會是個解脫。詩詩再也忍不住，眼泛淚光衝到了公堂上！

「請包伯伯為我爹申冤！」她眼泛淚光跪下。

「何故這片面之詞，能令你相信劉員外遇害？」包大人問。

我爹不管有多忙，每年都會趕回來陪我過中秋，現在已經廿六了，他仍是查無音訊！民女惟一想到的原因，就是爹已經……民女斗膽懇求包大人，請替民女作主，找回我爹！

聽罷，包大人閉目沉思了好一會兒。

「鬼神之說哪能做證！張三公然宣示迷信，判十五大板！**退堂！**」

張三在堂下聽聞，冷冷說道：「久聞包大人青天美譽，張某受此杖刑沒所謂。君子無畏傷痛，但**人命關天**，青天美譽我今日見識了。」包大人聽在耳裡，不但沒有怒意，還有些欣賞神色。

第四章・父女情深

　　開封府的後院中，青青陪著詩詩散步，希望好好開解她。然而詩詩剛才不僅聽到父親已死的謠傳，對包大人的哀求更沒得到半點回應，只覺得**極其難過**。

　　「可能只是個**瘋子**亂說，此事未必為真……你別想太多了。」青青這麼向她說道。

　　青青剛才為分散詩詩的注意力，故意跟她提起中秋燈會，反而勾起了她的憶父情緒，青青也是**萬分歉疚**。

　　「我娘是個大家閨秀，凡事都要管著我，不關心我喜歡甚麼；只有爹會逗我笑，逗我歡樂。」

　　詩詩也深明父親多半是出事了，說著說著，淚水終於關不住，由她那對遙望著遠方的明眸徐徐落下。

「你和劉伯伯的感情，真的是很不錯呢。」
青青說道，眼眶也濕潤了。她跟包大人也是一雙
感情要好的父女，對於詩詩的痛苦，她可謂能感
受到**切膚之痛**。

　　「是的，別人都說我爹是個厲害精明的
生意人，但其實在我眼中，他只是
個可愛慈祥的父親……十多年來，他都絕對不會
這樣杳無音訊，撇下女
兒不管的。」

王朝及趙虎剛好來到後園，邊休息邊討論著烏盆案。聽到詩詩的話，以及她淚眼的可憐相，一向不愛管閒事的王朝竟然想上前追問。

「又是那個**刁蠻**大小姐嗎？她的遭遇是挺可憐，但我們昨天救了她一命，也要受她惡言相向。」趙虎一把拉住王朝。

「我是開封府捕快，對於城內的案件、百姓的求助，我都**責無旁貸**。」王朝冷冷回應道。

「你就別主動插手了，聽候包大人差遣吧。」趙虎辯不過王朝的大道理，只希望他別再惹上那個毒舌火爆的小姑娘。

王朝一笑，走到了詩詩面前。

在下開封府捕快王朝，見過劉姑娘。」王朝
向詩詩一揖道：「有關令尊的事——」

王朝面對江湖上的惡人都**面不改容**，誰料眼前這個少女真誠的目光，居然使自己心如鹿撞，他連忙乾咳兩聲解窘。

「有關劉員外的事，你可以多給我講一點嗎？」他揉揉泛紅的面頰問道。

「有一年我跟爹用過**調虎離山計**，偷吃了叔叔的月餅，自那次起我們每年中秋，都會向叔叔惡作劇。」談起父親，詩詩露出微笑：「他即使武功蓋世，也敵不過我們父女倆，所以爹一定會在中秋前先和我先想好計劃……」

王朝聽到這裡，想到平日認真的生意人劉世昌，對女兒來說竟是個亦父亦友的老頑童。他想起撫養自己的師父，雖然對自己愛護有加，但卻異常嚴屬，從來不會說笑，使他從小也想有個像劉世昌一般，會陪著自己玩的父親。

因此，他絕對明白詩詩有多想念父親。

「爹不但把生意管理得井井有條，更會每天陪我讀書、陪我玩、陪我瘋⋯⋯」詩詩又開始哽咽起來：「他這生人最重要的東西，除了生意之外，就是我了。」

「你真幸運呢，有個如此疼你的爹。」王朝由衷的羨慕起來。

　　「王大哥，我只是小女子一名，已經束手無策了。」詩詩跪在王朝跟前，緊緊握著他的手。

　　「劉姑娘請起，我可是朝廷捕快，幫助百姓可謂**義不容辭**，無須多禮！」

　　詩詩對王朝投以一個感激的眼神，其實她也不明白，為何自己會對他特別信任。是因為昨天的**救命之恩**，還是因為他的冷靜沉實呢？

張龍聽令！

張龍飛快地從內廳跑出，前往執行任務，剩下包大人及公孫先生，繼續談論著那個離奇的烏盆案。

「公堂之上無法認同**鬼神之說**，包大人給予張三杖刑，怕是逼不得已。」公孫先生道：「但我看包大人似乎亦覺此案耐人尋味？」

「此案**十分離奇**，疑幻似真的謠言漫天亂飛。」包大人點點頭：「張三可是個讀書人，不會胡謅如此光怪陸離的故事；本官相信他那邊定有其他線索。」

「包大人覺得派哪位捕快去查，比較穩當？」公孫先生向包大人問著。

「當然是觀察力敏銳，又夠冷靜沉實的那位。」包大人說著，目光不經意投向窗戶的方向──正好就望到後園中，詩詩緊緊握著王朝的手，**一臉真誠**，完全洗脫了平日那種刁蠻任性的氣質。

包大人看著這副情景，發自內心的微微一笑，內心已有定奪。

　　「王朝這小子，會不會太過投入自己的感情？」倒是公孫先生有點**猶豫**：「這樣會影響到他辦案吧？」

　　「相信王朝懂得拿捏分寸，而且捕快不是冷冰冰的**執法工具**，會投入感情，本官倒覺得是個好事。」說罷，包大人站起，緩緩走到窗邊。

包大人向著王朝大喝：

「本官命捕快王朝負責劉世昌失蹤案，速辦無誤！」

王朝亦轉身對包大人一揖，精神奕奕的回道：

王朝聽令！

王朝送詩詩回家的路上，兩人都默然不語，直至回到劉家大門前，詩詩才終於開口。

「剛才我失態了，要是王大哥覺得此案**無從入手**，不必勉強自己。」

「此案雖然奇怪，但絕非無從入手。在公，解破此案是我作為捕快的職責；在私，我亦不會有辱劉姑娘所托。」王朝一臉認真的道。

如上**義不容辭**的王朝，使詩詩內心一陣溫暖。

第五章・蛛絲馬跡

　　王朝從市集買了半打肉包一醰燒酒，來到一間林中小屋前，剛好碰上從裡面離開的張龍。

　　「咦？包大人派你主理此案嗎？他似乎覺得張三這裡仍有其他線索。」張龍**調皮**的向王朝說：「小的已先行一步前來，安撫好張老先生了！」

　　王朝**不禁一笑**，沒想到包大人如此早著先機，他能做的只有不負包大人的期望。

　　王朝跟張龍道別

後，走進了張三家中，只見他已飽得躺在地上動

彈不得，張龍的安撫可真是出手闊綽！

　　張三剛剛飽餐一頓，現在又收到肉包和酒，

簡直**喜出望外**！

　　王朝對老人家必恭必敬，而且禮多人不怪，

張三對於包大人施以杖刑的那股**冤屈氣**，著實

散退了不少，對王朝也相當合作。

　　他的烏盆是來自小屋不遠處，同樣在林中

的一個窯場。前陣子他的舊盆破掉了，又不夠錢

在市集買銅製的盆子，於是就去那邊窯買一個

造工不齊整、卻相當便宜的烏盆。

　　沒想到，自從烏盆買回來後，他就怪夢連

連……

「張老，這些泥土是你踩回來的嗎？」王朝
留意到張三雖然家徒四壁，但打理得乾淨整齊，
惟獨是地上泥濘處處。

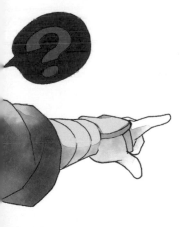

「不是呀！我每次掃乾淨後，再過幾天泥濘又會莫名奇妙地出現，也許是我家太 簡陋 ，風把泥沙都吹進來了吧？」張三搔著腦袋說道。

王朝不置可否，與張三道別，離開小屋。

接下來，王朝穿過樹林來到了窯場，只見兩夫妻在搬著磚頭及烏盆 東奔西走 ，兩人都忙得不可開交。

王朝望向天上，現在密雲滿佈，陽光從雲與雲之間的縫隙灑落。這兩口子似乎就是在追著那一抹陽光在曬磚頭。

「客官？小人趙大！客官隨便看！」老闆趙大看到王朝，笑得眼睛瞇成了縫一樣，看起來是個老實人。

王朝掏出捕快令牌，向他們表露身份。

「我是開封捕快，正在調查一宗案件，有些事情想向趙老闆**打聽打聽**。」

「我倆口子就燒燒磚頭、烏盆而已，還會牽扯到甚麼案件嗎？」趙大先是一愕，很快又恢復了笑容：「沒事沒事！配合官府是百姓的責任，差大哥你儘管問；娘子！做些豆漿給客人！」

趙大差遣妻子去磨豆漿，自己則領著王朝，在窯場邊參觀邊聊著。

「你們就**兩夫妻**住在這裡嗎？」王朝問：「最近有沒有發現甚麼特別的人，或者是奇怪的事情在附近發生？」

「我們**膝下無兒**，這個窯場又是小生意，做甚麼都是親力親為，平日光是工作都忙不過來了！」趙大想了想之後回答：「閒時也就養養牲口弄點肉吃、或是做做豆漿而已，還哪有時間留意甚麼？」

「最近可算是風平浪靜，就是生意差點。還好上月有幾天把整個窯場租了給別人，我才有錢補好這漏水的屋頂！」趙大帶王朝來到窯前。

　　王朝抬頭一看，果然看到屋頂是**新修葺**的。

　　「上月你把這個窯場整個租給別人？」王朝皺眉疑惑：「那是誰？為甚麼要租窯？」

　　「那是城內劉家的二老爺，劉世隆。聽說他租窯場，是要幫些甚麼人燒一批烏盆賣到西域去。雖然我們**兩口子**要到山後破廟暫住整個月，但不用幹活幾天，就能得到一筆不俗的收入，真的要感謝劉老爺！」

又是劉家的人，王朝不禁一怔。

然後，他問了關鍵的問題：

依你看，能否把人燒成烏盆？

「幾乎不可能吧？人骨這麼大，如何和到泥裡？除非……有方法把骨頭都磨成粉末。」也許是王朝的問題太可怕，趙大顯得戰戰兢兢起來。

王朝離開窯場，整理著思緒。他認為張三性格**直腸直肚**，又是個老書生，不會說出烏盆鬧鬼這種謊言；可是王朝又決不相信，世上真的會有冤靈作祟。

其實經過了一整天的調查，王朝感覺當中有個不能忽視的重點，於是他再一次來到張三家，只是他並沒有進去打擾張三休息，而是在外面草坪上躺下⋯⋯

第六章 · 護甲被碎

在這宗**疑雲密佈**的案件中，有一個人貫通了所有重點；他既是劉世昌的胞弟、詩詩的叔叔，又在上個月租下那個**燒製烏盆**的窯場。

在詩詩的引見下，王朝跟趙虎得以跟這個人——劉世隆見面。不愧是劉家二老爺，他一身錦衣華服，一臉傲氣，手中還提著兩顆黃金膽在轉動。

「詩詩，他們問東問西，只是在**找麻煩**，給些茶錢打發即可。」劉世隆根本完全沒把王、趙兩人放在眼內！

趙虎聞言光火起來，正要發作。

「劉先生上月租用窯場，**所為何事**？」
王朝一邊示意趙虎冷靜，一邊直接切入重點。

「租用窯場當然是**燒盆**。」劉世隆冷笑一
聲：「兩位捕快只管找回家兄即是，別來找劉某
的麻煩。」

「打擾劉先生了，只是……」王朝**目光如炬**
的與他對視：「我向錢莊查過，上月劉先生同時
把百兩黃金匯到杭州去了。」

「杭州正是令兄最到過的地方。」王朝語氣依然**不卑不亢**：「做捕快不能相信巧合，因此請問劉先生為何一邊租窯場，一邊把鉅款匯走？」

「你現在是懷疑我和家兄的失蹤有關？」劉世隆迎上了王朝的視線。

「我想把一切查得**清清楚楚**，這只是我的職責所在，如有得罪，還請包涵。」王朝一揖。

「詩詩，叫下人來把這兩個**不懂禮節**的粗人送走。」劉世隆不滿，懶得再回王朝的話，直接下起逐客令來。

劉世隆**不怒而威**，顯然不會賣王朝這個小捕快的帳；即使強行留下，想必只會把關係弄僵，對案件沒有絲毫幫助。內心縱然不甘心空手而回，王朝也只能暫時鳴金收兵，再另想辦法調查此人……

同行的趙虎可沒有王朝這種分析能力、冷靜頭腦。性格剛烈的他，對劉世隆那副不可一世的氣度，內心早已有**一萬個不滿**！

　　「喂！姓劉的可別囂張！」他指著劉世隆大聲**斥喝**道：「要是不乖乖合作，可別怪我們抓你回衙門審問！」

　　面對*氣勢如虹*的趙虎，劉世隆望著他低聲冷笑一下，就轉身離開。

這無疑是火上加油，王朝生怕趙虎闖禍，詩詩更在這時說出了一個「壞消息」……

「叔叔是十年前的 **武狀元**，雖然已衣錦還鄉，沒有官位在身……」她悄悄地告訴王朝：「但當今不少官位比包伯伯官位要高的朝廷命官，都尚且要忌他三分！」

王朝登時 **心知不妙**，正想喝止趙虎不要動手，趕快離開；可是一切都太遲了，趙虎已經一手抓住劉世隆，另一手掄起拳頭朝他打過去！

劉世隆以迅雷不及掩耳的速度，一下翻身到趙虎背後！趙虎不但打了一記空拳，更反被劉世隆從後擒住！

「如此**三流功夫**在此撒野，囂張的倒是你這個小捕快。」劉世隆語氣冰冷的道：「小懲大戒是免不過了。」

趙虎還未意會到甚麼意思，背上就被狠狠的蹬了；這位四大捕快中的重量級人馬，竟然被劉世隆的一腳踢得如斷線風箏般飛走！

王朝知道劉世隆是個**厲害角色**，為免他乘勝追擊傷及趙虎，只能無奈出手。他射出兩發暗器作掩護，同時閃身到了劉世隆身邊，兩人拳來腳往、**短兵相接**！

面對開封名捕，劉世隆應付得**遊刃有餘**，更找到空隙擊出一掌，把王朝亦打得應聲倒地！

王朝甫剛退場，趙虎立即重回戰局，一輪連環拳強攻向劉世隆；可是他依然**不慌不忙**，甚至連手都不用動，就把趙虎的連串攻擊全數躲開！

「別怪劉某下重手了。」劉世隆被他的死纏爛打惹怒了！

劉世隆認真起來，提氣運勁於右手——**碎骨拳**蓄勢待發！

叔叔，他們是我朋友！

趙虎亦握緊拳頭，指節噼啪作響，使用全身的力氣，朝劉世隆揮出一拳，迎上他的攻擊！兩個男人的**捨身一擊**，即將在半空之中相撞——

劉世隆聽到詩詩說話，
剛好打完這拳。

劉世隆止住攻勢，退到了
趙虎的拳腳範圍以外。

「**滾。**」他拋
下這麼一句，就轉身離
開。

「打擾劉先生，如
有需要，我們會再來拜訪。」王朝向他的背影道，
但沒得到任何回答。

「哼！甚麼碎骨拳不外
如是！」趙虎吐一下鼻息罵
道：「一副了不起的模樣，
還不是落荒而逃——」

「哐啷！」

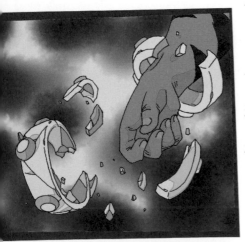

趙虎話還未說完，那雙展昭為他設計的玄武玉腕，直接在他手上變成了**碎片**。他跟王朝對望一眼，終於明白到碎骨拳的可怕！

　　「可能叔叔知道你們是我的朋友，所以收了手。」詩詩也替趙虎感到驚心動魄：「要不然，趙大哥的手臂肯定**要不得**了！」

　　趙虎知道詩詩的話沒有誇大，那雙平日不知擋過多少刀槍劍戟的護腕，這刻竟被打得粉碎……

　　「對了，要是你爹出了事，家中的**財富**由誰繼承？」趙虎忽然靈光一閃。

「這是劉家的**祖業**，我爹是以長子的身份繼承，一直都打理有條有理。但要是他不幸有甚麼**三長兩短**，那就會全交到叔叔手上了。」

趙虎聽到這個答案，凝視著地上的護腕碎片，若有所思……

第七章 · 碎骨疑雲

　　王朝與趙虎回到衙門，向包大人及公孫先生報告一切；然後，包大人與王朝進入了藏經閣，趙虎則與公孫先生留在內廳。

　　「包大人要查碎骨拳的事？」藏經閣中，王朝問起包大人來。

　　「正是，本官想找找武狀元劉世隆的底細。」包大人一邊翻著書卷一邊道：「我已派了張龍去調查劉家帳房，只要這兩點都弄個清楚，劉世隆清白與否，自當一目了然。」

　　「會碎骨拳的劉世隆的確相當可疑。」王朝欲言又止。

「是的，全案清清楚楚，絕無半點含糊——劉世隆就是兇手無誤！」

內廳中，趙虎亦正在對著公孫先生**滔滔不絕**。

「首先，張三手中烏盆確是有鬼魂附上！」趙虎對公孫先生侃侃而談：「劉家祖業全在長子劉世昌之手，劉世隆為了爭奪家產謀害親兄，以百兩黃金收買杭州親信，最後用碎骨拳打碎屍體，於窯場燒成烏盆！」

趙虎邊說邊點頭，不但覺得自己說得頭頭是道，更愈講愈起勁。

「那麼作為開封第一名捕，你說我們接下來要怎麼做？」公孫先生調侃起趙虎來。

「最麻煩的地方是，劉世隆**武功高強**。」趙虎誤以為公孫先生在抬舉自己，真的在想起對策來了：「他的一手碎骨拳我還未想到對策，只是我有應付的經驗，要是由我做主，他們三個輔助，相信花點功夫就能拿下此人。」

「我真的裝不下去了，你明明是跟著王朝到劉府的，怎麼居然會得出烏盆有鬼的結論？」公孫先生終於**忍俊不禁**。

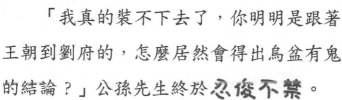

趙虎本來覺得自己把整個案件分析得很精妙，甚至連如何逮住兇手劉世隆都想好，沒想到被公孫先生如此戲弄，當然**心有不甘**。

　　「我不管烏盆有鬼沒鬼，至少劉世隆肯定是兇手！」不愧是趙虎，到最後都還要作出反擊。

　　「烏盆沒有鬼，劉世隆也不是兇手。」

　　公孫先生合起手上的摺扇，表情一下認真起來。

　　趙虎本想繼續反駁下去，惟看到他的這個模樣，也頓時住了口。

　　「劉世隆不是當家，也畢竟是劉家的二老爺，有著**雄厚財力**。」公孫先生開始說著自己的想法：「既然有錢收買杭州親信，何不讓他們在杭州處理掉劉世昌屍體，而要運回開封城郊，徒增**出亂子**的機會？」

「可是能把人骨打碎，除了碎骨拳以外還有甚麼可能？」趙虎話題一轉，好像還在介懷不敵碎骨拳一事：「難道公孫先生認為這把戲也是假的嗎？」

這時候，包大人與王朝從藏經閣步出。

「是的，碎骨拳是**千真萬確**的一套武功。」王朝翻著書卷向包大人報告——卻剛好回答了趙虎的問題。

王朝這句話無意又潑了趙虎**一頭冷水**，這次公孫先生終於忍不住笑了起來！

「本官已大約明白真相了。」包大人回到自己的座位，向在場的公孫、王、趙說道。

「趙虎。」包大人開始下令：「明天升堂開審，替本官通傳劉世隆、張三，以及窯場趙大夫妻。」

「聽令！」趙虎**聲如洪鐘**的應道。

「王朝，有關烏盆的亡魂，本官需要托你準備點功夫。」包大人說到這裡，又停下來沉思著。

王朝靜候著包大人的指令——究竟烏盆亡魂背後的*秘密*是甚麼呢？

第八章・爭產殺兄?

　　雖然天已全黑，但百姓們知道包大人將要開審烏盆案，都擠到了公堂外看熱鬧，大家你一言我一語的討論著，吵個**不可開交**。

　　「肅靜！」公堂內傳來一聲斥喝，眾人立即就靜了下來。

　　四位**涉案人**：劉世隆、張三、趙大兩夫妻，都已齊聚公堂之中，正在包大人面前！

眾人都恭敬跪著，惟有劉世隆傲然肅立。

「**大膽刁民**，於青天大老爺前，還不下跪？」趙虎大喝。

「包大人官處幾品？」劉世隆不慌不忙地反問。

「趙虎**休得無禮**！劉先生除了是前武狀元，還是當朝進士，可謂文武全才。」包大人向劉世隆露出讚歎的神情：「進士皆天子門生，劉先生可免禮開審。」

烏盆案的案情既奇怪又**靈異**，包大人還專門選在晚上開審。這個消息早已傳遍開封，因此才吸引到不少群眾，抱著好奇心前來聽審。

沒想到，奇案的「主角」烏盆尚未出現，劉世隆這位武狀元的身份、包大人對他的高度評價，已引起**全場嘩然**。

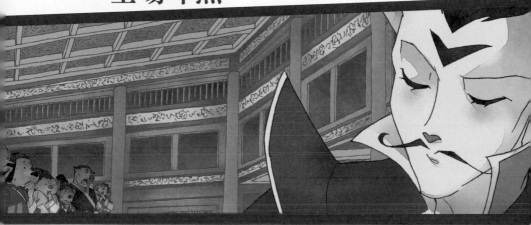

包大人指劉世隆文武全才，大家都驚訝原來富商劉世昌的弟弟，也是個足以光耀門楣的厲害人物，難怪如此傲氣高昂！

包大人一拍驚堂木，群眾登時靜了下來。

「先由張三陳述！」公孫先生說道。

張三就**由頭到尾**把事情說一遍。公孫先生再道：「由趙大答話！」

是否你説窯場曾租予別人？

是，就是公堂上的劉世隆承租。

除了租給劉世隆，可曾還有租給別人？

趙大說沒有。

你曾指出要把人燒成烏盆不可能，因為骨頭太大，是否無法做到？

要把人骨碎成粉末，的確是不容易的。但這兩天我趕市集時，聽到人說，劉家有一種武功可以把人的骨頭打碎。若以此武功去辦，把人燒成烏盆就輕而易舉了。

包大人說明白了，又向劉世隆說：「劉進士，令兄失蹤，甚至遇害，**家業就全歸你**。你的利益最大，趙大說你租了窯，若此烏盆是從這窯中燒出，時間相對又近。你的武功又剛巧能把最困難之部分破解。看來嫌疑很大。你有甚麼解釋？」

張三**鬼話連篇**，此等證供不理也罷。租用趙大的窯場的原因，也只是劉某與家中的工人趕造烏盆，我把賣出後的錢滙至杭州給家兄，只是**生意往來**。包大人不是小看我家只懂做絲綢生意嗎？至於碎骨拳雖是我家絕學，但如果開封有甚麼東西碎了都算我頭上，亦說不過去吧？

劉世隆一番自辯，盡顯急才及傲氣。

只是，種種證供彷彿直指他是真兇；劉世隆與張三及趙大，雙方**各執一辭**，一切其實只是在原地踏步。

就在這個時刻，包大人說出了一句話，再次惹來全場嘩然——

「傳最後一位人證——烏盆！」

第九章・審烏盆

轉眼就見王朝捧著烏盆進入公堂，馬漢緊隨其後。王朝放下烏盆在地上，自己和馬漢就左右守護著。

「堂下烏盆，何人害你？」包大人
二拍驚堂木問道。

眾人屏息以待，都在期待著烏
盆「開口」回答包大人的
問題。

只是，等了良久，
公堂內仍舊鴉雀
無聲，烏盆半句
話都沒有說過。

「孔聖先師曰：『**敬鬼神而遠之**』，意思是讓我們別把心機放在虛妄之物上，若人皆依賴鬼神，何需再努力求存？」包大人義正辭嚴的道：「只是這次烏盆案，由張老先生受亡魂所托申冤，帶出一宗離奇命案……正好讓本官感到天道循環，報應不爽。」

包大人不喜歡迷信，但也不抗拒怪力亂神之說，**因果報應**更是他信奉的哲理！

張三聽到包大人引經據典，說出孔孟之言，簡直覺得被包大人講到心坎裡了；趙大夫妻顯然是很怕鬼，聽著包大人的話，又望望盛傳被鬼依附的烏盆，不禁冷汗直冒，一副快要哭出來的模樣。

劉世隆**聰明絕頂**，辯才無雙，但要是兄長的鬼魂真的在公堂現身，他又會如何反應呢？

「你是否不再申冤？」包大人三響驚堂木，向烏盆喝道。

　　包大人審烏盆良久，就連慕名前來聽審的百姓，都開始感到枯燥，偷偷笑著包大人**犯傻**，竟花了這麼長的時間，與一件死物對峙……

　　就在此時，烏盆像剛醒過來一樣，輕輕轉動了半個圈！

　　百姓們嚇得尖叫起來；劉世隆微笑著搖搖頭；張三則是**見慣不怪**，並沒有甚麼反應。

膽小的趙大夫婦見狀，嚇得雙腿一軟，跪也跪不穩一下坐到地上！

「烏盆！本官知你無口難言，你就用盆上的**缺口**，指出殺害你的真兇！」包大人對烏盆喝道。此話一出，烏盆開始轉得愈來愈快，王朝跟馬漢繞著它來走，好像怕它會飛走似的！

然後，烏盆的速度漸漸慢下來，眾人望著它的缺口，發現指著的居然是趙大！

「冤有頭債有主！下毒的不是我是她啦！」趙大慌不擇言，對烏盆指證起妻子來！**「我有說過不好的，但他逼我把毒藥放入你的豆漿內……與我無關……不要找我！」**妻子亦反過來指證趙大！

「何故烏盆說你是害它之人？」包大人問道。

驚魂未定的趙大聲音顫抖的答道：

「是我財迷心竅，一念之差。我很後悔……」

聽審的人都啞口無言，一時無法反應過來。
原來劉世昌之死，兇手竟不是他的
親弟，而是這素未謀面的兩人？

包大人再拍驚堂木厲聲問：

「還不從實招來？」

「劉世隆剛把窯場交還的那晚，一個華衣美
服的中年人來到借宿。」
趙大開始如實道出：「當
晚雨勢頗大，我就招呼
他入屋，安排了個小房
間給他，希望他會打賞
我一點**銀兩**。

「後來我見他把很多行裝搬入房間，就打算上去幫一把。其中一個箱子很重，我又一把年紀，結果不慎打翻了，箱子裡面竟然全部是**金子**！我趙大這輩子都沒見過這麼多銀兩！我不動聲息，只道為他奉上熱豆漿驅寒，其實在裡面放了毒藥。他**不虞有詐**喝下，不到一個時辰就沒氣了，我為了毀屍滅跡，與妻子商量過後，就把他燒成了烏盆……」

「不會碎骨拳的你，如何處理掉劉老爺的骨頭？」包大人續問。

「我們用的是磨豆漿的**石磨**，把骨頭都磨成細片。」

本來是霧裡雲裡的案件，沒想到烏盆的鬼魂真的作祟，還逼得真兇當場自白。王朝與趙虎上前把趙大押走時，在場聽審的人依然驚訝得說不出話來！

第十章・水落石出

　　趙大被押下之後，劉世隆朝包大人輕輕一笑道：「素聞包大人**足智多謀**，又善於斷案，沒想到還有這種戲法。」

　　眼光銳利的劉世隆，其實早就察覺到使烏盆轉動的把戲了。

　　「王朝與馬漢靴上都裝上了磁石，這其實是王朝的主意。」

「我昨晚在想如何用烏盆**裝神弄鬼**，使趙大供出案情時，見它本來就是黑色，很容易把磁石隱藏在烏盆裡面，才出此下策，劉先生見笑了。」王朝說著，又作示範似的走了一步，果然烏盆輕輕的動了一下。

「這是利用磁石**正**　**負**兩極的原理，加上你們步法的控制，偽造出烏盆自己轉動的詭計？」張三來到現在，才終於知道剛才發生甚麼事；王朝對著張三點點頭。

沒想到這使張三更不明白了：「那麼難道我家也有磁石嗎？」張三搔著頭，**一臉疑惑**：「而且……你怎麼知道趙大是兇手？」

王朝望向包大人，包大人笑著揚手，示意他向張三解釋。

「張老先生，王朝得罪了，但你看到的烏盆報夢，其實根本不是現實。」

「你怎麼又這樣？張某可沒有說謊！」

「稍安無躁！且讓我解釋。」王朝笑著安撫想發怒的張三：「還記得你家中的**泥濘**嗎？那些無故出現的泥濘，使我感到相當古怪，於是就接連數個晚上，張老先生家門前守著，結果發現你原來患有**夢遊**，更會把夢遊時遇到聽到的事，以為是當晚自己的夢境。」

「以下只是我根據這些觀察的推論。」王朝豎起食指，開始說著自己的想法：「張老先生在一次夢遊時，目擊到趙大把劉世昌屍體燒成烏盆。飽讀聖賢書的你是個君子，想要替死者申冤，內心就做了一個**冤魂托付**的夢。」

　　「王捕快**英雄出少年**，當日於我府上多多得罪了。」劉世隆朝他微笑點頭。

　　「劉先生言重，王朝那時才是不慎冒犯前武狀元。」王朝亦恭敬的回話說。

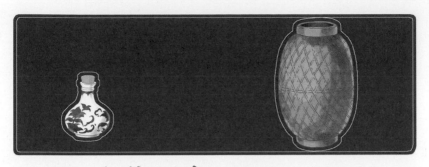

　　案件**水落石出**，聽審的人逐漸散去。然而當中有一個人，卻茫然地走到了公堂之上——那正是詩詩。她一邊想著那個不會再有父親陪伴的中秋佳節，一邊緩緩走到烏盆處跪下。

　　欲哭無淚的她拿起烏盆，把磁石輕輕拆下來，然後像抱著**最親近**的人一樣，將烏盆緊緊擁在懷內。剛才整場審判，詩詩都沒有流過半滴眼淚，直到現在，她依然強忍著。

看到詩詩這副淒涼的模樣，眾人無不動容。劉世隆走到王朝身邊，拍拍他肩膀。

　　「我見你對詩詩**相當關心**，她也挺在意你的，你要不要安慰一下她？」劉世隆對王朝笑道。王朝點點頭，立即走向了詩詩那邊。

　　接下來，劉世隆走到了包大人面前，對包大人衷心地行了一禮。

　　「劉某本以為包拯包青天只是**徒具虛名**，沒想到今日有幸親眼目睹包大人斷案，可真大開眼界。」劉世隆道：「劉某早前目中無人的態度，希望包大人不要記恨。」

「劉先生貴為我朝尖子，**文武全才**，本官對你亦折服不已。剛才為使趙大鬆懈，向你逼問案情，只望你不要介意。」包大人回了一禮：「閣下與令兄感情要好，又疼愛詩詩，想必不會因財失義、謀害家人。此次若非令兄失蹤，相信你定會親自帶著**百両黃金**前往杭州賑災。」

「包大人知道的還真不少，劉某佩服。」劉世隆一愕。

包大人望向詩詩，看到她一臉木然，只感到她相當可憐。

他正想走向詩詩時，張三又跑到了包大人面對：「包大人明察秋毫，斷案精彩得很！判草民杖刑恐怕也只是個**苦肉計**吧？」

被熱情的張三纏上，包大人心忖：看來安慰詩詩的任務只能交給王朝！

就在詩詩悲痛欲絕之時，一個聲音從公堂大
門處響起——

詩詩的眼中本來滿
是陰霾，但當她聽到這
個聲音後，雙眸一下子清
澈了起來！

「其實剛才的烏盆作祟戲，還有一名主角的。」王朝走到詩詩身邊，對她苦笑道：「只是那人遲到了。」

聞言詩詩回頭一看——穿著**錦衣華服**的肥漢子，正在一臉笑意的步入公堂，對著眾人笑得眼睛瞇成了細縫。

「世昌遲到了，對不起呀包大人！」肥漢子原來正是詩詩的父親．劉世昌！

「劉員外一向愛玩，剛才可是錯過了一場裝鬼的戲碼。」包大人與劉世昌也是**舊相識**，深知他愛玩的性格。

劉世昌笑著與包大人寒暄，在場眾人望著這個情景，都一頭霧水：劉世昌不是已經被**謀財害命**了嗎？真兇才剛自白完罪行呀！

「你往哪裡去了？怎麼現在才回來？」詩詩踩著腳，氣得額上青筋暴現：「你知不知道人家有多擔心你？」

劉世昌對著詩詩，眼中就是慈祥的目光，對她的質問以微笑來應對。

「你以後都不能這樣！」

　　說罷詩詩就撲到劉世昌身上，緊緊抱住了他。
這段日子那副堅強
模樣不見了，眼淚終
於缺堤而出。

詩詩在哭，但流的是喜悅的眼淚。剛剛才看著殺父仇人被包大人收押，嘗試接受喪父的事實，沒想到半刻之後，父親居然活生生的出現在自己面前。這樣的**心情起伏**，詩詩這輩子都不想要多試第二遍了！

　　「包大人，你是如何找到我哥的？」劉世隆對兄長仍然在生，也是喜出望外。

　　「之前滿天飛的流言，**空穴來風**，未必無因。」包大人說道：「劉家貴為開封大戶之一，何解會有如此多的流言出現？我讓張龍深入調查，發現劉員外的副手劉升同樣下落不明。」

「我七月初在杭州收到消息，八王爺要親自到我店選購絲綢，此事不容有失，我要留下坐鎮，因此命劉升回來向世隆及詩詩交代，順道讓他把**百兩黃金**帶回來。」

說到這裡，劉世昌哈哈一笑！

「當王爺選好絲綢，我打點好一切之後，就立即動身回開封，沒想到在半路上，就遇到開封的捕快請我盡快趕回。我還以為是世隆或者詩詩闖禍了呢！」

「**闖了禍的是劉升。**」包大人對劉世昌說：「劉升他貪圖一時之快，斷送了自己性命。」

劉世隆、王朝等人登時明白，紛紛點點頭。

「劉升表面上是個忠心助手，但其實經常都會找機會，穿起劉員外的華衣錦服冒認你，到處**招搖撞騙**。其實劉升在杭州已有家室，今年妻子還剛誕下麟兒。」

「是的，早年劉升娶妻時，還是我給他錢付**禮金**的呢！沒想到他孩兒才剛出生，父親就出事了。」劉世昌有點惋惜。

「這年劉升用你的名字行騙，還在杭州回來的路上戀上了一名年輕女子；她當然不是愛劉升，只是仰慕劉世昌的家財！

「我叫馬漢**日夜兼程**前去找你的路上，也讓他他逛過不少酒館，很多人都說認識劉世昌，紛紛讚賞他的豪爽。另外張龍調查過劉家賬房，劉升自恃是老伙計，又是你的

左右手，每次都從中貪污幾兩金，在路途上揮霍！」

「原來小販們所說的流言，也非**無中生有**。」詩詩恍然大悟：「只是他們口中的劉世昌，並不是我爹。」

案件最後的謎都已經偵破，王朝看到詩詩與父親重遇，心中替她高興，露出了一個**釋懷**的微笑。

　　「你小子是戀愛了嗎？」張龍見狀笑說：「人家可是千金小姐，你只是個小小捕快，就省點力別做**白日夢**了！」

　　「我是捕快，看到百姓跟家人團聚，替他們高興不是很正常的嗎？」王朝被他說得臉紅耳赤，惟有**轉換話題**：「這裡已經結案了，快跟我回去善後！」

　　這時，終於團聚的劉家眾人，亦向著公堂門口走。「幾十歲了，你就會惹麻煩！」劉世隆還是忍不住教訓這個老頑童哥哥！

包大人看著眾人離開，也心滿意足地與公孫先生一同回到了內廳。

　　公堂之中，只剩下張三一人，捧著他的烏盆在沉思——沒想到他手上這個**平凡不已**的盆子，居然衍生出這麼一宗奇案，引發一連串難以想像的事件……

　　張三心想，即使它不是個**冤靈依附**的烏盆，也絕對是個別具價值的紀念品！

第十二章・誰偷了呆子心

早會上，各捕快正在向包大人交代著開府城內各種事務及奇案。

「稟包大人！有百姓在開封目擊到在逃的朝廷欽犯王五，我會加緊調查，盡快把犯人歸案！」馬漢**自信滿滿**的說道。

「最近城郊山賊開始猖獗，我會盡快挑出**精銳**的衙差前往討伐！」好戰的趙虎磨拳擦掌說著。

「市集的小偷團伙，張龍定當抓出他們的頭子，擒賊先擒王！」張龍**鬥志高昂**。

「包大人，我正準備──」

「王大哥！王大哥你出來一下，我有事找你！」詩詩的聲音從門外傳來，**硬生生**把他的話打斷了！王朝滿臉通紅，不知所措！

我有事找你。

包大人對他笑笑，揚手示意他先去處理詩詩的事；王朝有點不好意思地離開了內廳。

「被女人**呼來喚去**，哪裡像條好漢？」趙虎冷笑著。

「要是你被『趙大哥！趙大哥！』的叫著，相信你也**心癢難耐**吧？」馬滿反諷趙虎。

「待王朝『嫁』入劉家後，我們就能向武狀元討教一招半式了！」張龍也***不懷好意***的笑著。

包大人見他們這樣訕笑王朝，也沒有出言阻止；這使三個傢伙更放肆了，居然一同哈哈大笑起來！

「你們幾個小子，待我練成碎骨拳後，非找你們算帳不可！」詩詩怒吼的聲音傳來，原來她跟王朝並未走遠，一直在門外。

詩詩探了半身進內廳，對三人狠狠做了個**鬼臉**！

「捕快就好好做捕快的事，少管別人家的閒事！」詩詩又變回那個嘴上不饒人的**毒舌女孩**，拋下這麼一句後，就趕快拉著王朝溜了！

看著她跟王朝逃跑的背影，三人無法回嘴，只能乾瞪眼！

「諸位，本官剛剛破了一起在衙門的失竊案。」包大人板起臉孔，忽然說出這麼一句。

「誰這麼大膽？」

「衙門失竊？誰在太歲頭上動土？」

「我們立即把犯人緝拿歸案！」

三位捕快緊張起來，連珠炮似的追問；沒想到原來包大人童心大發，調皮的說：

「開封捕快王朝的心，被劉大小姐偷走了！」

名、字、號

我們都有姓和名，也許還有乳名、小名、花名、英文名、暱稱等，古人則往往有名、字、號，用於不同的場合，或面對不同身份的人，就會採用合適的稱謂。

文中的窮書生說他名叫張三，字別古，是甚麼意思呢？

原來古時無論男女，都有小名、大名、字。所謂「小名」或「幼名」，是指小孩剛出生的時候父母為他隨意取的名字，像劉備兒子，小名喚作阿斗。長大後，除非近親長輩，其他人都不會叫你的小名。用小名呼喚一個成年人，是非常不尊重的事。

至於長輩正式給子女所取的稱謂，就是「名」，或曰「大名」，而在古代社會，這個名要入官服的戶籍簿，因此這個名又叫「官名」，也為孩童上學後所用。一般寄託了長輩對孩兒的期望。阿斗的「名」為禪，劉禪是也。（在古代某一時期，起名講究二名為賤，單名為貴，所以劉備幾個兒子都是單名——劉封、劉禪、劉永、劉理。）

「字」，一般是到了成年以後，舉行成年禮——冠禮時才取字，這就是《禮記·曲禮上》說的「男子二十冠而字」。普通百姓家一

般是不取字的，官宦人家、文人取字的較多。如劉禪，字公嗣。朋友間為避「名諱」，一般互相稱字，而非直呼其名。

女子也有取字的，尤其是書香門第的小姐們，都有名和字。不過，女性多在訂婚、結婚的時候才取字，有個成語叫「待字閨中」，意思就是指女孩還沒有訂婚、結婚，在閨閣中等待取字。

最後，「號」也是一種名字稱謂，不過起號的人就不算廣泛了，一般是文人、官員、僧道等。有點像現代，起「綽號」、「外號」、「筆名」的意思。例如文人表達自己的志向、信仰、節操、情趣、愛好、性格、人生觀等而起號，像蘇東坡是蘇軾的自號，他稱自己為東坡居士，表示自己恬淡豁達、四大皆空。

特別一提「諡號」，它是人死後朝廷給予的一種評價性稱號，最初有褒貶之分，後世多為褒，是有一定成就、較高品級、威望、品德高尚的人才有的，具有榮譽性。像蘇軾的諡號為文忠公，他有本作品集叫《蘇文忠公集》呢。

武狀元

古代的狀元，是古人在科舉考試中，得到進士第一名的名稱，如沒有特別說明，一般就是文武元。另外武狀元則為武舉中的第一名，但相對於文科舉，武舉較為不受重視。歷朝的武舉時而被廢，時而恢復。

武舉由武則天於公元 702 年開始推行，考試內容包括舉重、騎射、步射、馬槍等技術；此外對考生外貌、體格亦有要求，要「軀幹雄偉，有將帥之姿者」。以後唐、宋、明等朝都有武舉，至清朝時改稱武科。

今期收錄的成語

成語	釋義	頁數
顧名思義	看到名稱，就聯想到它的含義。	p. 5
深居簡出	原指野獸潛藏在深山密林中，很少出來活動。後指人類平日待在家裡，很少外出。	p. 6
喃喃自語	連續不斷小聲地自己跟自己說話。	p. 7
打草驚蛇	擊打草叢以嚇走蛇。比喻對付敵人時，行事不密，致使對方有所警覺，而預先防備。	p. 7
裝神弄鬼	假扮鬼神去騙人。	p. 8
問心無愧	憑著良心自我反省，沒有絲毫慚愧不安。	p. 9
逍遙法外	指犯法的人沒有受到法律制裁；仍然自由自在。	p. 9
沉冤待雪	沉冤：期得不到伸張的冤案；待雪：等待昭雪，洗清冤枉。	p. 9
思前想後	思：考慮；前：前因；後：後果。對事情發生的緣由，發展後果，作再三考慮。	p. 11
衣衫襤褸	襤褸：破爛。衣服破破爛爛的。	p. 13
沉不住氣	氣息情緒不能沉穩，遇事保持不了冷靜鎮定。	p. 13
理直氣壯	理由正大、充分，則氣盛而無所畏懼。	p. 13
事有蹺蹊	事情怪異可疑或違背常情。	p. 15
不知所終	不知道結局和下落。	p. 15
道聽途說	在路上聽到一些沒有根據的話，不加求證就又在路途中說給其他的人聽。泛指沒有經過證實、缺乏根據的話。或寫作「道聽塗說」。	p. 15
流言蜚語	本指製造不實的傳言，用來詆毀他人。後泛指謠言。	p. 16
膝下無子	膝下：人在幼年時常依靠在父母膝旁。所以說一個人膝下無子，就是沒有子嗣。	p. 16

成語	釋義	頁數
如數家珍	好像計算自家所珍藏的珠寶一樣。比喻敘述事物明晰熟練。	p. 17
說三道四	胡亂批評、議論。	p. 18
簞食瓢飲	文中的「一簞食，一瓢飲」，可寫為「簞食瓢飲」。一簞食：一碗飯。簞，竹器，用以盛飯。一瓢飲：一瓢水。瓢，飲器，以葫蘆剖分而成。意思是，只吃一碗飯，只喝一瓢水，三餐不繼，吃不飽的意思。	p. 19
大義凜然	凜然：嚴肅、或敬畏的樣子。形容為了公理正義，堅強不屈的樣子。	p. 19
莫名其妙	指說不出其中的奧妙，表示發生的事情很奇怪，說不出解釋的道理來。	p. 20
孔武有力	勇敢而力大。	p. 20
恃強凌弱	倚仗強權，欺凌弱小。	p. 22
拔刀相助	遇見不平的事，就挺身而出，加以干涉。比喻見義勇為，打抱不平。	p. 26
泛泛之輩	泛泛：稀疏平常。資質、才能普通的人。	p. 27
不甘示弱	不甘心表現得比別人差。	p. 28
落荒而逃	來不及選擇道路，只能倉皇逃走。	p. 28
自身難保	意思是一年被平均分成春夏秋冬四時。比喻雙方各得一半，不分高低，表示平局。	p. 29
侃侃而談	形容說話從容不迫的樣子。	p. 30
目中無人	眼中除自己外，沒有他人。形容人高傲自大，瞧不起別人。	p. 33
袖手旁觀	把手縮在袖子裡，在一旁觀看。形容置身事外，不予過問。	p. 34
自討沒趣	做事不得當，反使自己難堪窘迫。	p. 37
強人所難	勉強別人做不願或做不到的事。	p. 38

成語	釋義	頁數
頭頭是道	原為佛教語，指道無所不在。後來用來形容言語清楚明白，有條理。	p. 82
聲如洪鐘	洪：大。形容說話或歌唱的聲音洪亮，如同敲擊大鐘似的。	p. 86
一念之差	念：念頭、主意；差：錯誤。一個念頭的錯誤。	p. 99
素未謀面	謀面：見面。指平素沒有見過面。	p. 100
不虞有詐	不虞：意料不到。想不到之下有人欺騙了你。	p. 101
稍安無躁	稍微安靜等待，不要躁急。	p. 105
水落石出	冬季水位下降，使石頭顯露出來。比喻事情經過澄清而後真相大白。	p. 107
徒具虛名	空有名聲，而無內涵。指名聲與事實不相符合。	p. 108
明察秋毫	目光敏銳，可看見秋天鳥獸新長的細毛。 比喻能洞察一切，看出極細微的地方。	p. 109
空穴來風	有空穴，就會把風招來。比喻事出有因，流言乘隙而入。 或比喻憑空捏造不實的傳言。	p. 115
招搖撞騙	形容憑藉他人名聲，到處炫耀、詐騙。	p. 117
不懷好意	心裡固有不好的念頭。	p. 123
太歲頭上動土	古時以太歲所在的方位為凶方，不宜動土興建。 故用以比喻觸犯有權勢或凶暴的人。	p. 125

下回預告

【第五期】

神秘殺手大鬧開封，一招殺敗武林高手！不透氣密室竟可飛刀殺人？兇手更是十年前死掉的亡魂？

經已出版！

創造館童書系列

本地實力作家
屬於香港小月

時間證明一切，口碑銷量俱佳。

家聯手原創
的成長讀物

題材豐富廣泛，總有你的選擇。

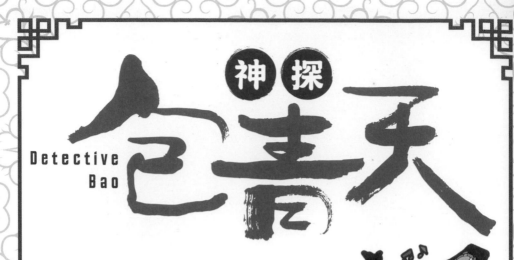

神探 包青天

Detective Bao

創作 / 繪畫	余遠鍠
故事 / 文字	晴天、何肇康
監製	余兒
封面設計	faminik
內文設計	siuhung
編輯	小尾
校對	萍
出版	創造館
	CREATION CABIN LTD.
地址	荃灣美環街 1-6 號時貿中心 6 樓 4 室
查詢電話	3158 0918
發行	泛華發行代理有限公司
	香港新界將軍澳工業邨駿昌街七號二樓
印刷	高科技印刷集團有限公司
出版日期	第一版　2017 年 10 月
	第三版　2021 年 8 月
ISBN	978-988-79820-4-3
定價	$68